Gallimard Jeunesse / Giboulées sous la direction de Colline Faure-Poirée

© Éditions Gallimard, 1995
ISBN : 978-2-07-059196-4
Premier dépôt légal: novembre 1995
Dépôt légal: décembre 2008
Numéro d'édition: 165549
Loi n°49956 du 16 juillet 1949
sur les publications destinées à la jeunesse
Imprimé et relié en France par Qualibris/Kapp

Loulou le Pou

Antoon Krings

GALLIMARD JEUNESSE / GiBOULÉES

Un beau jour, Loulou le pou tomba de la chère tête blonde qui jouait dans le jardin. Il fit des sauts de puce désespérés pour retrouver cet abri doux et frisé mais, trop tard, l'enfant était déjà parti. Alors il ramassa ses petites affaires, le parapluie qui le protégeait des bains moussants et des shampooings piquants, puis il chercha une nouvelle maison moins remuante.

En chemin, il rencontra Léon
le bourdon. Loulou en profita pour
lui demander s'il ne connaissait pas
un vieux chien qui puisse le loger.
Léon lui répondit n'avoir jamais vu de
chien, ni de chat, ni d'autres insectes
de ce genre dans le jardin. Il l'envoya
voir Mireille en lui désignant
sa maison.

Mais en été, les abeilles sont souvent absentes de chez elles et Mireille l'était ce jour-là. «Oh zut, dit Loulou devant la porte close. Je vais être obligé de me débrouiller tout seul.»

–Bonjour Léon! Belle journée, dit Mireille.

–Ah bonjour, dit Léon en faisant un bond de surprise. Je pensais que tu étais chez toi.

–Pourquoi? demanda l'abeille intriguée.

–Parce que je crois que quelqu'un t'attend et ce quelqu'un est laid comme un pou.

– Voyons voir, dit Mireille en prenant
un air avisé et réfléchi. S'il est laid
comme un pou, c'est sûrement
un pou.
– Et les poux aiment le miel! affirma
le bourdon.
– Ah non! Pas mon miel! s'écria
l'abeille en se précipitant chez elle.
Heureusement, il ne manquait aucun
de ses pots.

Mais au milieu de la nuit, Mireille
fut réveillée par des bruits suspects.
Elle alluma sa bougie et traversa
la chambre pour s'assurer que le pou
n'essayait pas de pénétrer dans
le buffet où elle tenait son miel.
Personne ne s'y trouvait, aussi elle
revint sur ses pas, souffla sa bougie et
se remit au lit.

En fait, tous ces bruits venaient de l'extérieur où Loulou retapait une petite maison abandonnée proche de celle de Mireille. Quand l'abeille se leva le lendemain matin, la première chose qu'elle vit fut un pou en train de poser un écriteau : « Loulou, salon de coiffure. »

Mireille était coquette. Elle se rendit
le même jour chez notre coiffeur.

—Je pourrais te faire quelque chose
de plus jeune, dit Loulou en tournant
autour de l'abeille.

… Et voilà le travail, fit-il en agitant
avec fierté un petit miroir.

—Ça change, répondit simplement
l'abeille en découvrant sa nouvelle
coiffure qu'elle était impatiente
de montrer à tous ses amis.

– Mimi, tu t'es coiffée avec un clou,
aujourd'hui? lui demanda Léon.
– Avec un pétard, tu veux dire,
murmura très fort Siméon le papillon.
– Merci, grommela l'abeille.

Enfin, pendant que la coiffure
de Mireille faisait la joie de ses amis,
Loulou eut la visite d'un nain
de jardin.

Étant d'une nature plutôt curieuse, le nain se pencha et essaya de passer la tête par la porte en criant : « Y a-t-il quelqu'un ? » À cet instant, notre pou sauta et se cacha dans la barbe du lutin.

C'est pourquoi, quand Mireille, furieuse, retourna voir Loulou, elle ne le trouva plus chez lui. Par contre, en chemin, elle croisa le nain de jardin qui se grattait nerveusement les poils de la barbe... Bizarre...